Alun yr Arth a'r Dial Dwl

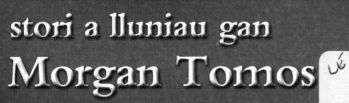

stori a lluniau gan
Morgan Tomos

yLolfa

Cyfres Alun yr Arth, rhif 17

Argraffiad cyntaf: 2012

Dymuna'r cyhoeddwyr gydnabod cymorth ariannol Cyngor Llyfrau Cymru

ISBN: 978 1 84771 603 3

Cyhoeddwyd ac argraffwyd yng Nghymru gan:
Y Lolfa Cyf., Talybont, Ceredigion SY24 5HE
e-bost ylolfa@ylolfa.com
www.ylolfa.com
ffôn +44 (0)1970 832 304
ffacs 832 782

Un diwrnod, roedd Alun yr Arth a Jac Drws Nesa
yn chwarae gêm.

"O diar," meddai Alun. "Dwi'n siŵr o golli."

Ond wrth lwc...

"Chwech! Dwi wedi taflu chwech!" galwodd Alun.
"Edrych, Jac! Dwi wedi taflu chwech!"

Ond doedd Jac ddim yn edrych. Roedd o'n rhy brysur yn pigo'i drwyn.

O'r diwedd, mae Alun yn llwyddo i dynnu sylw Jac.
"Dwi wedi taflu chwech. Fi sydd wedi ennill! Fi sydd
wedi ennill!"
Roedd hyn yn sioc i Jac.

"Wnest ti DDIM taflu chwech!" bloeddiodd Jac.

"Twyllo wnest ti! Twyllo!"

Riiiiiiiiiiiip!

Rhwygodd Jac y gêm

yn ei hanner.

Tynnodd Jac dafod. "Dwi ddim yn ffrindiau efo
chdi – rwyt ti wedi twyllo!" gwaeddodd Jac.
A dyma Jac yn gadael.

Roedd Alun wedi gwylltio.

"Pa hawl sydd gan Jac i 'ngalw i'n dwyllwr a rhwygo fy ngêm fwrdd? Rhaid dial ar Jac am hyn!"

Gyda morthwyl anferth...

... sleifiodd Alun i'r tŷ drws nesa,

i ystafell Jac...

... a malu ei hoff degan.

Pan welodd Jac ei hoff degan wedi malu...

... aeth i nôl morthwyl ENFAWR...

... a malu si-so Alun!

Roedd Alun yn drist iawn pan welodd ei si-so wedi malu.

Ond roedd yn gwybod sut i ddial eto ar Jac.

Aeth Alun i nôl balŵns.
"Ha, ha, ha!" chwarddodd Alun.

Roedd yr holl falŵns yn ddigon ysgafn i godi beic
Jac i fyny i'r awyr.

'Wnei di BYTH weld dy feic eto,' meddai Alun.
Allai Jac ddim credu ei lygaid.

Cerddodd Alun i ffwrdd â gwên hyll ar ei wyneb.
Roedd Jac wedi gwylltio'n gacwn erbyn hyn.

Y noson honno, breuddwydiodd y ddau am
Siôn Corn.

"Dewch rŵan, blantos," meddai Siôn Corn wrth Alun
a Jac. "Rhaid i chi beidio â dial ar eich gilydd fel hyn
neu fydd 'na ddim anrhegion Nadolig i chi'ch dau.
Byddwch yn ffrindiau."

Drannoeth, gwelodd Jac anrheg fawr
ym mreichiau Alun.
"Oooo!" meddyliodd Jac,
gan deimlo'n ddig.
"Mae Alun wedi
prynu anrheg
Nadolig iddo
fo'i hun."
Ond anrheg i Jac
oedd gan Alun.
"Bydd Jac wrth ei fodd
â'r anrheg Nadolig yma,"
meddyliodd Alun yn fodlon braf.
"Gobeithio gawn ni fod yn ffrindiau eto."

"Chei di byth fwynhau dy anrheg newydd," meddyliodd Jac wrth ddilyn Alun yn slei bach. "Dwi'n gwybod sut i sbwylio dy Nadolig di."

17

"A-ha!" meddai Jac. "Dyna anrheg newydd Alun."
Agorodd yr anrheg yn ofalus iawn
ac estyn y tegan allan.
"O, dwi'n gweld," meddai Jac.
"Mae hwn yn debyg i fy
nghar i – yr un falodd Alun."

Gyda'i bastwn anferth
chwalodd Jac y tegan
yn deilchion.

Yna, casglodd y tameidiau
at ei gilydd yn ofalus
a'u rhoi'n ôl yn y bocs.

"Dyna syrpréis gei di, Alun,
ar fore Nadolig!" chwarddodd Jac.

Daeth diwrnod Nadolig o'r diwedd.

"Gawn ni fynd drws nesa i roi'r anrheg i Jac?"
gofynnodd Alun.

"Wrth gwrs," meddai Mam. "Ar ôl i ni fwyta cinio."

Ar ôl cinio, aeth Alun, Mam a Dad i dŷ drws nesa. "Nadolig Llawen, Jac!" galwodd Alun. "Mae'n ddrwg gen i am y dial dwl. Dwi wedi cael anrheg i ti."

Dyna sioc gafodd Jac! Roedd o'n adnabod yr anrheg ac yn gwybod yn iawn fod y tegan y tu fewn i'r bocs wedi malu.

Edrychodd Alun yn syn pan welodd yr anrheg yn ddarnau mân.

"Mae'n ddrwg gen i, Alun," meddai Jac. "Fi falodd yr anrheg er mwyn sbwylio dy ddiwrnod Nadolig di."

Dechreuodd Jac grio. Ond camodd Alun ymlaen i ysgwyd ei law a daeth y ddau yn ffrindiau eto.

"O!" meddai mam Jac. "Mae Siôn Corn wedi dod ag un anrheg i'r ddau ohonoch chi."

Gêm newydd oedd anrheg Siôn Corn, er mwyn i'r ddau gael ei chwarae gyda'i gilydd.

"Dwi wedi taflu chwech," meddai Jac. "Ond...

... dwi am daflu eto. I fod yn deg."